四季之书

神奇炎热的夏天

Summer The Magic Blanket

【希】丽莎·博隆扎克斯 / 著

【希】丹妮拉·扎基娜 / 绘

张卫红 / 译

北京理工大学出版社
BEIJING INSTITUTE OF TECHNOLOGY PRESS

图书在版编目（CIP）数据

神奇炎热的夏天 / (希) 丽莎·博隆扎克斯(Litsa Bolontzakis) 著；(希) 丹妮拉·扎基娜(Daniela Zekina) 绘；张卫红译. — 北京：北京理工大学出版社, 2018.6

（四季之书）

书名原文: Summer: The Magic Blanket

ISBN 978-7-5682-5541-7

Ⅰ. ①神… Ⅱ. ①丽… ②丹… ③张… Ⅲ. ①夏季—儿童读物 Ⅳ. ①P193-49

中国版本图书馆CIP数据核字(2018)第069248号

北京市版权局著作权合同登记号图字: 01-2018-1588

出版发行 / 北京理工大学出版社有限责任公司
社　　址 / 北京市海淀区中关村南大街5号
邮　　编 / 100081
电　　话 /（010）68914775（总编室）
（010）82562903（教材售后服务热线）
（010）68948351（其他图书服务热线）
网　　址 / http: //www. bitpress. com. cn
经　　销 / 全国各地新华书店
印　　刷 / 三河市祥宏印务有限公司
开　　本 / 889毫米 × 1194毫米　1 / 16
印　　张 / 2.25
字　　数 / 45千字
版　　次 / 2018年6月第1版　2018年6月第1次印刷
定　　价 / 32.00元

责任编辑 / 杨海莲
文案编辑 / 杨海莲
责任校对 / 周瑞红
责任印制 / 施胜娟

图书出现印装质量问题，请拨打售后服务热线，本社负责调换

谨献给

我挚爱的父母，以及所有在孩子幼小的心灵上播种爱、感恩和慷慨的父母们！愿本书能伴您左右，对您有所帮助！

怀着爱和感恩，献给您

丽莎 Lisa

我们生活的世界历史悠久而又充满智慧，唯愿它能永远如此！

每一天，我们都想给本已美好的生活增添更多的甜蜜和快乐，这似乎就是每个人的生活状态：越来越好。

然而，让我们真正感到幸福的却是生活中那些微不足道的小事：炎炎夏日里一块冰爽的西瓜，浅浅沙滩上伴我入眠的海浪，美人鱼悠扬的歌声（即便这个美人鱼就是你妈妈），还有夏天独特的甜味或咸味的零食。

夏天还有一个最最神奇的礼物——魔毯！

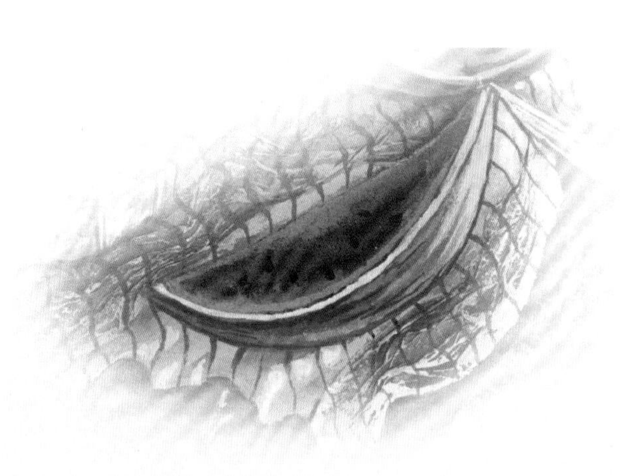

唉，炎热的夏天呀，火辣辣的日头烤着你的脊背，干乎乎的空气吹着你的头发，让人汗流不止！

不过，住在海边就会惬意很多。白天，阵阵海风吹拂着窗帘，让没有空调的日子不再难以忍受；傍晚，日薄西山，拍打沙滩的阵阵海涛就是大自然的催眠曲；当月儿映照海面的时候，它们伴我入眠。

在希腊，大海就是我们生活的一部分。酷热的夏天，我们根本不需要借助游泳池或淋浴降温，只要一头扎进离家不远的大海里，即刻便能感受到那种畅快淋漓的清凉。浩瀚的大海永远如此蔚蓝、如此凉爽、如此深邃、如此诱人！

希腊的夏天有着你所能想象到的最最炙热的大太阳。正午时分的阳光最毒，所以妈妈只允许我在海边玩儿到中午，等下午阳光稍弱了才能再去。

中午，我们一家三口就在家里吃午饭、休息。午饭向来都非常丰盛，在我们家，午饭也是一天中的正餐。鱼和海鲜是餐桌上的常客，不过现在我都吃腻了。我多么希望爸爸是卖肉的呀，这样我就能多吃肉少吃鱼啦！

可是，爸爸无数次提醒我，大海是我们的朋友而非敌人。

大海不仅为我们提供丰富的食物，同时也是当地人赖以生存的资源。清晨，女人们在院子里修补渔网，男人们则划船出海捕鱼；夜幕降临，劳作一天的渔民把当天的收获卖给当地的集市和饭店，卖剩下的鱼虾就带回家作为次日的午饭和晚饭。

吃完午饭后，我开始午睡，一直到四点钟。往往就在这个时候，卖冰激凌的小贩总是不约而至。一听到门外冰激凌小贩的自行车铃声，我就一骨碌从床上爬起来，冲到客厅，央求爸爸给我钱去买冰激凌。

每次爸爸都跟我开玩笑，假装没看见我，也没看见我等他点头答应时那焦急的神情。当然，爸爸从来不会拒绝我，就像妈妈常说的那样，他从来就不知道怎么说“不”。最后，爸爸才笑眯眯地递给我几个硬币，钱一到手我便迫不及待地冲出门去。哦，终于能吃到香甜的冰激凌喽，我高兴极了！

可是，即便有凉甜可口的冰激凌，也无法让我爱上午睡。我是那么讨厌午睡！为什么我必须得睡午觉呢？不管怎么说，我现在已经是大女孩了，所有人都知道，大女孩是不需要睡午觉的呀！

可妈妈却不同意，无奈，每天午饭过后，我不得不回自己的卧室午睡。我讨厌午睡时间！房间里闷热潮湿，我的头发上还散发着海盐的味道，窗外的阳光依然会晒到我的背上，这让我怎么睡得着呢？

就这样，每天中午我都躺在床上翻来覆去，浑身汗津津、黏糊糊，焦躁不安，实在睡不着！时间好像蜗牛爬的那么慢，钟表的指针几乎纹丝不动，可睡意却迟迟不来。每在这时，我总会想起那条毯子，它不是普通的毯子，而是神奇的魔毯！

终于熬过了午休时间，美味的冰激凌也吃完了，爸爸最喜欢的下午咖啡也喝过了，终于，终于，终于到了魔毯时间啦！

妈妈收拾起毯子和其他物品，我们一起往海滩走去。

大海离我家很近，只有几个街区的距离。实际上，我在家里就能远远地眺望到那美丽的蔚蓝的大海。

我也说不清魔毯有何神奇之处。也许，对别人来说，它看起来只不过是一条普通的毯子罢了：柔软无比，有点破旧，边角甚至已经有些磨损，但这并不影响它成为我心目中神奇的魔毯。

妈妈把毯子铺在海边光滑的鹅卵石上，我们就在那儿待一个下午，直到美丽的日落时分。为了打发时间，我们会玩玩游戏，聊聊天，当然，还有吃美味的零食。

这里是希腊，这儿必须得有食物！尽管不是什么珍馐美馔，但对我们母女俩来说，不知为何，坐在沙滩上哪怕吃的只是平时的小零食都会觉得美味无比。

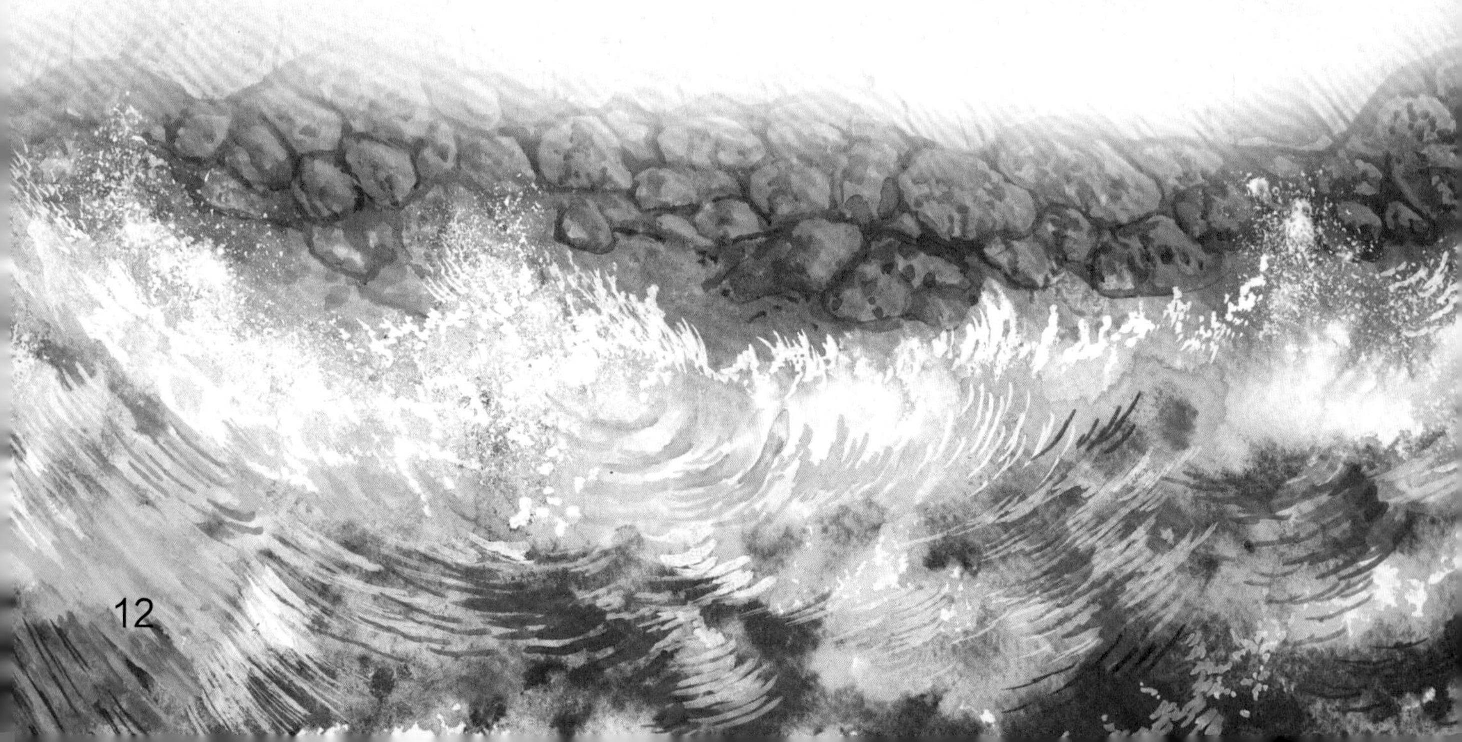

我们带的零食既新鲜又美味，而且都是妈妈亲手做的呢。每次闻着厨房飘出来的香味，我就能猜到妈妈在做什么零食。不管什么零食，只要是妈妈做的，味道肯定不错，而且我可以一次吃个够！

我最喜欢的零食非西瓜和菲达奶酪*莫属，比较喜欢的是一种叫“库鲁拉基亚”的曲奇。这种曲奇的边缘点缀着一圈新鲜的肉桂，而且妈妈在里面又加了芝麻和其他香料，那种美味无以言表！

我时常告诉自己：“我抽空得自己学学烘焙这些美味，那样的话，有朝一日我就能自己做给自己吃啦！”

我觉得妈妈对我们在魔毯上吃的零食花费了不少心思。在这个世界上，最美妙的事儿恐怕就是在户外新鲜的空气中品尝新鲜出炉的美食了。另外，将甜味和咸味食品混在一起吃，也别有风味呢。在我最喜欢的食物中，西瓜的甜蜜和菲达奶酪的咸味是希腊人特别需要的两种味道，大概是因为这里温润潮湿的气候吧。

* 译者注：希腊特产，一种以山羊或绵羊奶制成后，在盐水中腌熟的软芝士。

我们需要西瓜汁来补水，使身体保持湿润，同时也需要菲达奶酪里的盐分保留体内的水分，这样就不会因为炎热而缺水了。

我喜欢吃各种水果，非常幸运的是，我恰恰生活在一个水果极为丰富的国度。

我喜欢在炎炎夏日吃上一块凉甜爽口、新鲜多汁的西瓜，要是再加上一片菲达奶酪，美味至极！在清凉的海边跟妈妈和朋友们享受如此美味，人生还有比这更美妙的事吗？

新鲜的桃子也是我最青睐的水果之一，它甜蜜多汁，如果抹上一点奶油，几乎可以跟冰激凌媲美啦！

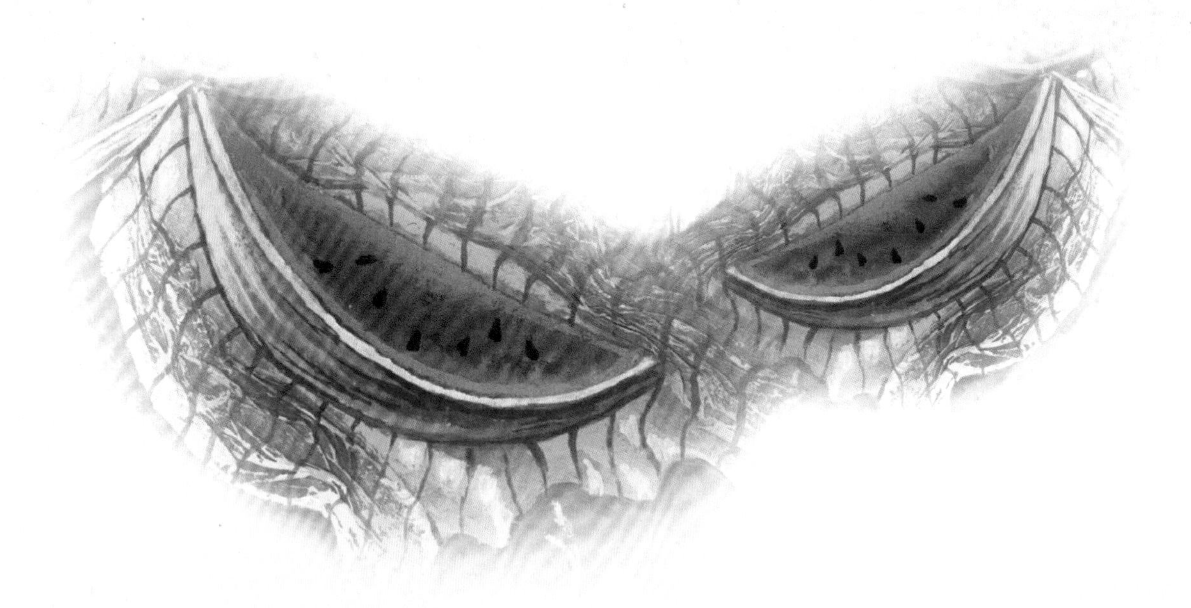

但我最最喜欢的水果还是西瓜——炎炎夏日，吃上一块凉甜爽口的西瓜，简直是世界上最幸福的事啦！

不过，这硕大、美丽、多汁的西瓜究竟是怎样的一种水果呢？

它是长在树上吗？

树枝能承受这么重的水果吗？

我想应该不行，不过也许可以呢。

那一棵树上能结几个西瓜呢？

一个西瓜长大得占多大地方呢？

西瓜里面的瓜子儿有什么用呢？

一个西瓜里有多少瓜子儿呢？

瞧我，又开始十万个为什么了！

我必须得了解一下自己最喜欢的水果的身世，下面就是我所得知的详情：

其实，西瓜并没有长在树上。它们长在地上，结在藤蔓上。瓜农们细心地确保每个西瓜都有足够的空间长得又大又圆，每个西瓜之间的行距大约有两米左右，这样它们才有足够的空间长大。

想知道西瓜是如何得名的吗？当然啦，因为西瓜*的主要成分是水——准确地说，西瓜里92%都是水分。古代人长途跋涉的时候随身带着西瓜作为一种储水的工具，因为它比装满水的水瓶、水罐轻便一些，更易于携带。

* 译者注：英语中的西瓜是watermelon，由表示“水”和“瓜”的两个单词组成。

我们都知道西瓜表皮是绿色的，但你知道辨别西瓜是否成熟得看那些黄色条纹吗？不错，我妈妈挑西瓜的时候总是选瓜蒂部分是深黄色的，这说明这个西瓜已经成熟了。

猜猜一般的西瓜里有多少个西瓜子儿？会有50个，150个，或者200个？一般每个西瓜里会有300到350个西瓜子儿！

尽管有时候那些瓜子儿让我头疼不已，因为我吃西瓜从来不会像朋友们那么快地吐瓜子儿，但我却发现西瓜最神奇的地方就是这些西瓜子儿了，而西瓜子儿最神奇的地方则在于：一个西瓜里有这么多瓜子儿就意味着来年我们可以种出这么多的西瓜，这样，我们就会永远都有西瓜吃！想想我都觉得高兴，不管怎么说，没有西瓜的夏天将会多么枯燥无趣呀。

音乐是夏天重要的一部分。一方面来说，我妈妈喜欢唱歌，让她一展歌喉的最佳“舞台”恐怕非夏日沙滩莫属啦。我和朋友们在沙滩上追逐嬉戏，在魔毯上打闹玩耍。妈妈知道，能让这群孩子安静下来，让一天的沙滩时光完美结束，最好的方法便是唱一首她最拿手的歌曲。

妈妈的嗓音非常优美，我跟朋友们玩耍的时候她就给我们唱歌。

第一次听到她唱歌时，我还以为是美人鱼上岸来给我们唱歌了呢。那个场景如此美妙：落日的余晖映照在清澈湛蓝的海面上，温柔的浪花亲吻着我们的小脚丫，妈妈动听的歌声随风飘扬——这一切宛如梦境一般。

不过，这并不是梦，唱歌的是我的妈妈，我为她而骄傲！很快，我就开始跟着妈妈一起哼唱，她的脸上洋溢着快乐和幸福。就这样，就在我们神奇的魔毯上，我和妈妈举办着我们的个人演唱会。

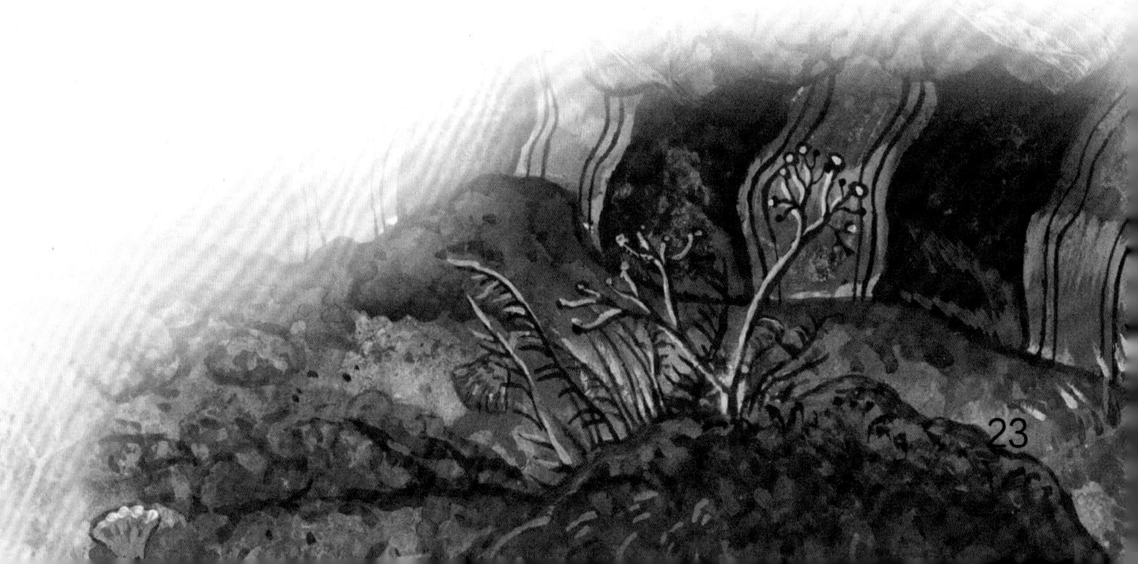

但让我的夏天如此特别的不仅仅是音乐，很多时候，我会闭上眼睛，想象着自己乘坐魔毯飞到了遥远的地方。

你有没有做过白日梦，在梦里到了很远很远的地方？我就做过！我闭上眼睛，把自己想象成一只美丽的蝴蝶，振翅飞过田野，亲吻芬芳甜美的花儿。

哦，能自由地飞翔，并且像一片羽毛一样飘落到任何喜欢的地方，这种感受是多么神奇，多么美妙啊！

即使当我睁开眼睛，从神奇梦境回到现实世界，我也不觉得遗憾，因为那条神奇的魔毯就在我的身边。我和妈妈、朋友们在海边度过的每一天都如此特别。

拍打着岸边的海浪让我内心恬静，温柔的海风轻抚着我的脸颊，妈妈哼唱着动听的歌曲，用手轻抚着我的长发，这样的我似乎可以永远永远在梦中飞翔！

如此美妙的快乐和幸福都只在那一张神奇的魔毯上！

我十分珍惜跟妈妈与魔毯在一起的快乐时光。其实，快乐并不需要很多：明媚的阳光，温柔的海浪，动听的歌声，褪色的毯子，一点水果和菲达奶酪——这些最平常不过的东西便足以让我们的夏天如此神奇。

想到这些幸福的夏日时光和我的魔毯，我似乎忽然明白了，原来生活的甜蜜就在于跟家人和朋友共同度过的美好时光。最神奇的是，这样的美好时光并不需要花费太多，只需要一张毯子，一个会唱歌的美人鱼（必要时可以是你妈妈哟），几个朋友，一段白日梦，当然，还有——夏天！这样，你就可以拥有一张属于自己的魔毯啦！

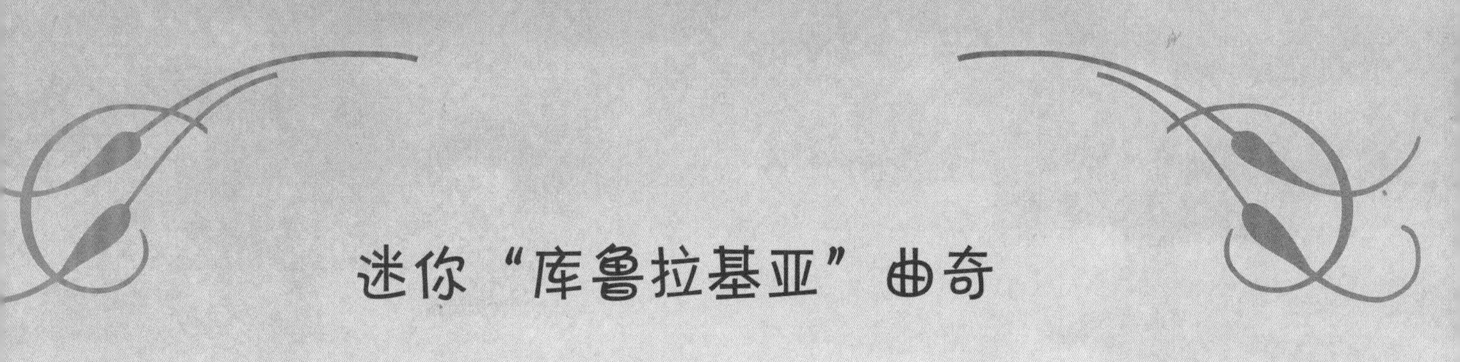

迷你“库鲁拉基亚”曲奇

请在家长的监护下准备配料

100块，150摄氏度火烤15～20分钟

45千克常温黄油

500克35%的奶油打发成鲜奶油，静置待用

$1\frac{1}{2}$ 杯糖粉

3个鸡蛋，分3次加入

2茶匙香草

1茶匙肉桂

少许盐

8茶匙发酵粉

7杯普通面粉

制作过程：

将黄油放入碗中搅拌几分钟，直到柔软蓬松

继续搅拌的同时缓缓加入糖粉

将鸡蛋分三次加入

加入鲜奶油和其他配料

加入面粉，揉搓至柔软光滑

将小面团揉搓成细长条，并旋成曲奇状

放在烤盘上，入烤箱烘烤

作者：丽莎·博隆扎克斯

插图：丹妮拉·扎基娜

本套丛书

四季之书
繁花似锦的 Spring
Trees In Bloom 春天
感知四季更替 聆听自然声音 学会感恩和爱
北京理工大学出版社

四季之书
神奇炎热的 Summer
The Magic Blanket 夏天
北京理工大学出版社

四季之书
夏冬之交的 Autumn
The In Between Season 秋天
感知四季更替 聆听自然声音 学会感恩和爱
北京理工大学出版社

四季之书
银装素裹的 Winter
A Season For Chestnuts 冬天
北京理工大学出版社